Corinne Marchois

Ludo et ses amis 1

Cahier d'activités | A1.1

Nom: Henry Bi

Prénom:

Classe:

Enseignant:

Ecole:

didier

Bienvenue
dans le monde de Ludo !

Tu vas apprendre le français avec **Ludo le robot** et son ami **Léo le lapin.** Ils vont t'aider à progresser très vite car ils vont te donner envie de parler français et t'encourager sans cesse.

Une belle aventure commence !

Dans ce cahier d'activités, tu continues à apprendre...

Tu te **repères** dans ton cahier.

Les pictos des activités

Tu écoutes. Tu parles.

Tu lis. Tu écris.

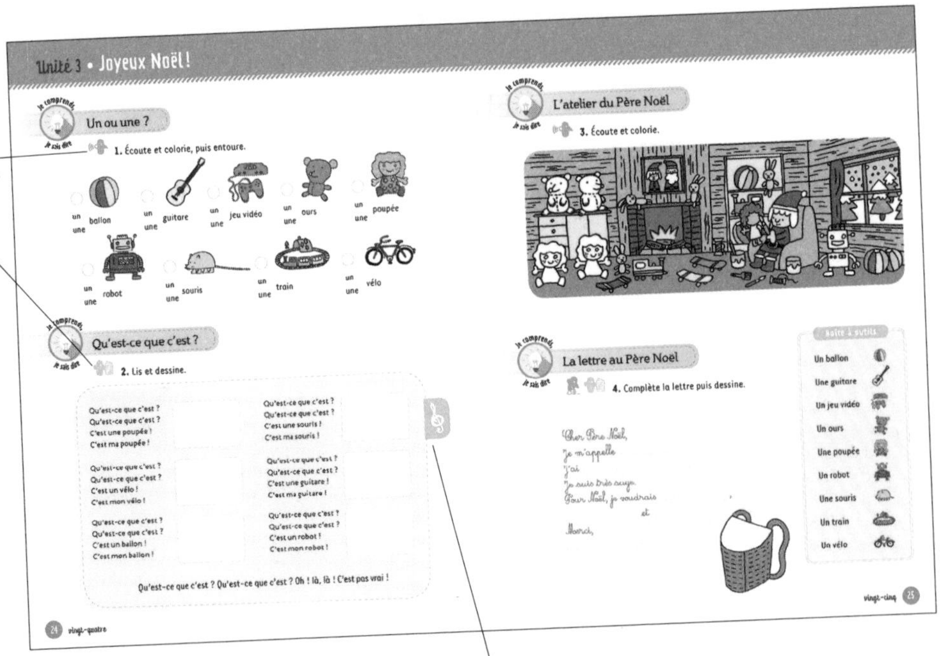

Tu **apprends** une comptine.

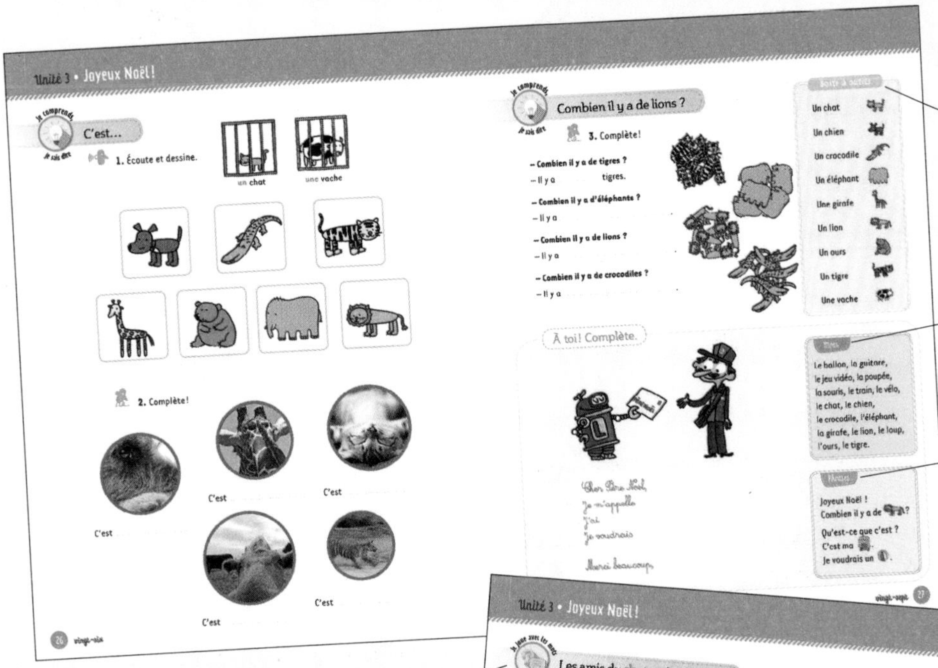

Tu **mémorises** le lexique illustré.

Tu te **souviens** des mots.

Tu te **souviens** des phrases.

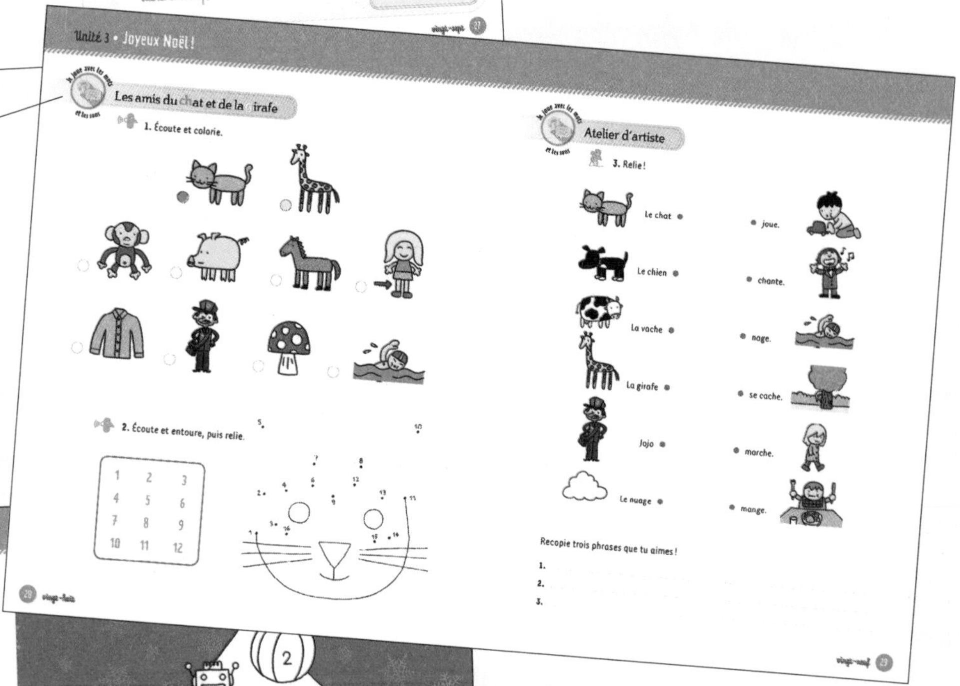

Tu **écoutes,** tu **comprends,** tu **agis,** tu **parles.**

Tu **fais** des activités amusantes.

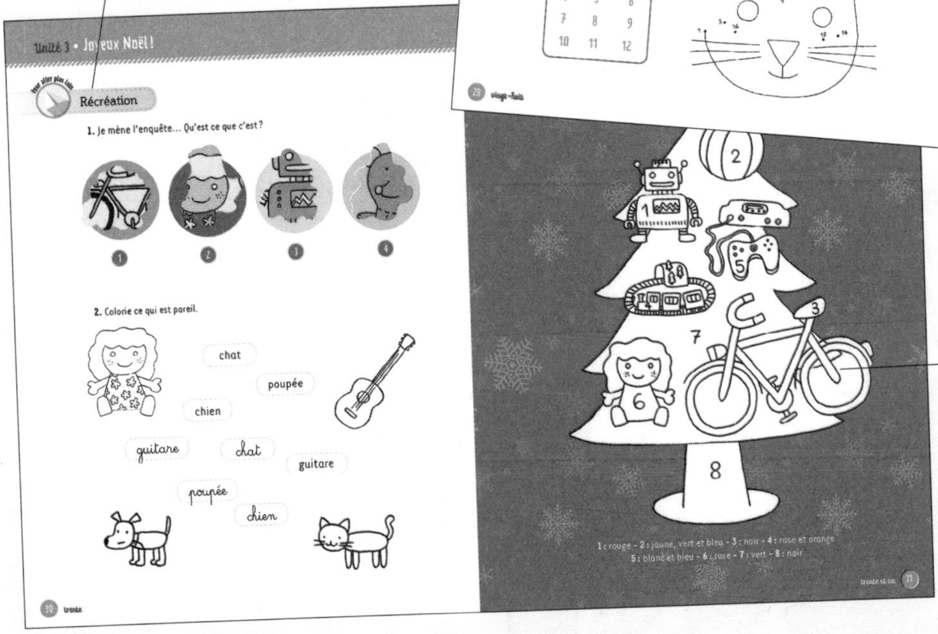

Tu **colories.**

Avec le CD de ton livre, tu écoutes les comptines et tu chantes !

Henry Bi

E
L

Unité 1 • Bonjour !

Je comprends, je sais dire

Mes premiers mots en français

1. Écoute et écris le numéro.

la tomate …

la girafe …

le taxi …

le sandwich …

la musique …

la pizza …

la moto …

le café …

le coca …

la princesse …

la banane …

la guitare …

Comme c'est rigolo !

Je joue avec les mots et les sons

2. Chante !

Écoute et répète

D'abord dans ta tête

Un, deux, trois, à toi

Tomate, banane, pizza, sandwich

Encore une fois !

Écoute et répète

D'abord dans ta tête

Un, deux, trois, à toi

Moto, taxi, musique, guitare

Encore une fois !

Écoute et répète

D'abord dans ta tête

Un, deux, trois, à toi

Girafe, princesse, café, coca

Encore une fois !

C'est très bien, bravo !

Tous avec Ludo !

Comme c'est rigolo !

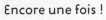

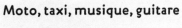

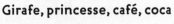

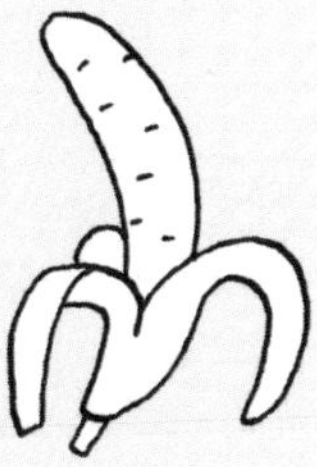

Piste 1

Comme c'est rigolo !

Je comprends, je sais dire

Bonjour ! Au revoir !

1. Écoute et colorie.

2. Lis, choisis et colorie. ● **Bonjour !** ● **Au revoir !**

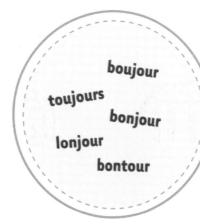

3. Lis et trouve.

boujour
toujours
bonjour
lonjour
bontour

au sevoir
au revoir
au ravoir
au refoir
au revour

Je comprends, je sais dire

Comment tu t'appelles ?

1. Complète !

Je m'appelle Ludo.
Je m'appelle Jojo.
Je m'appelle

2. Interroge tes camarades et complète.

Ludo	Toto

Je comprends, je sais dire

Mon badge

1. Pour mon badge, j'ai choisi...

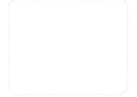

le vélo ....

....

2. Mon ami a choisi...

....

3. Lis et complète.

Ludo	Ludo	LUDO
bonjour	b..................	B..................
a..................	au revoir	....

Écris ton prénom !

....

Écris le prénom de ton meilleur ami !

....

Boîte à outils

a	A	a	A
b	B	b	B
c	C	c	C
d	D	d	D
e	E	e	E
f	F	f	F
g	G	g	G
h	H	h	H
i	I	i	I
j	J	j	J
k	K	k	K
l	L	l	L
m	M	m	M
n	N	n	N
o	O	o	O
p	P	p	P
q	Q	q	Q
r	R	r	R
s	S	s	S
t	T	t	T
u	U	u	U
v	V	v	V
w	W	w	W
x	X	x	X
y	Y	y	Y
z	Z	z	Z

Je comprends, je sais dire

Les couleurs

4. Écoute et colorie.

À toi ! Complète.

JOJO : Bonjour !

LUDO : B .... !

JOJO : Comment tu t' .... ?

LUDO : Je m' .... Ludo.

JOJO : C'est un cadeau pour toi.

LUDO : Oh, merci ! Au .... !

JOJO : Au revoir !

Mots

Bonjour / Au revoir

Phrases

Comment tu t'appelles ?

Je m'appelle...

C'est ?

Je joue avec les mots et les sons

Tap, tap, tap !

1. Écoute et colorie.

1				
2				
3				
4				

2. Combien de syllabes ? Entoure !

1	2	3

1	2	3

1	2	3

1	2	3

1	2	3

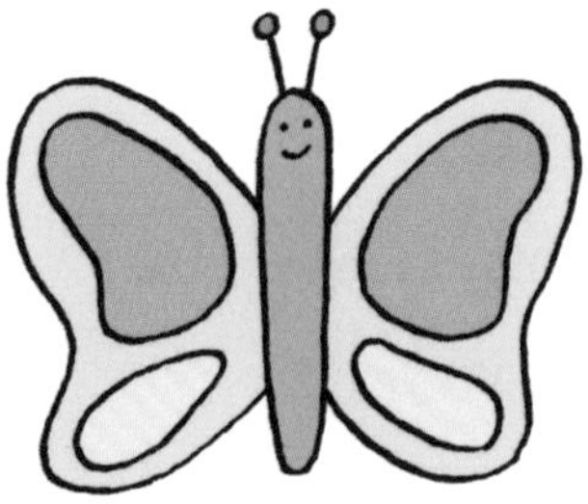

1	2	3

Je joue avec les mots et les sons

b, d, k… t!

1. Écoute et entoure.

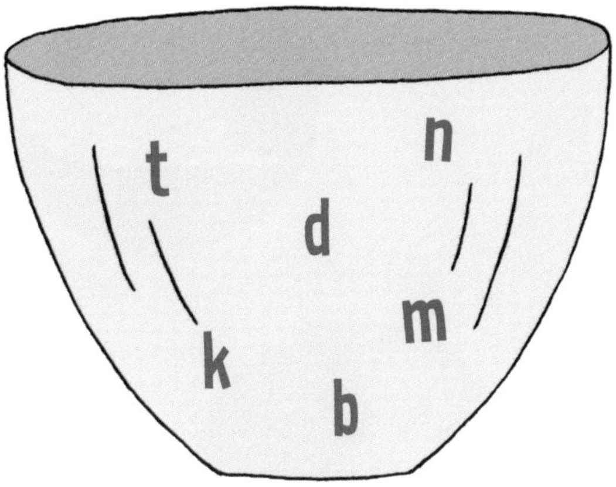

2. Écoute et complète.

moto

.... imono

.... able

.... anser

3

.... uméro

.... icyclette

Pour aller plus loin

Récréation

1. Écoute et colorie.

2. Je mène l'enquête... Interroge et trouve la couleur de chaque pièce.

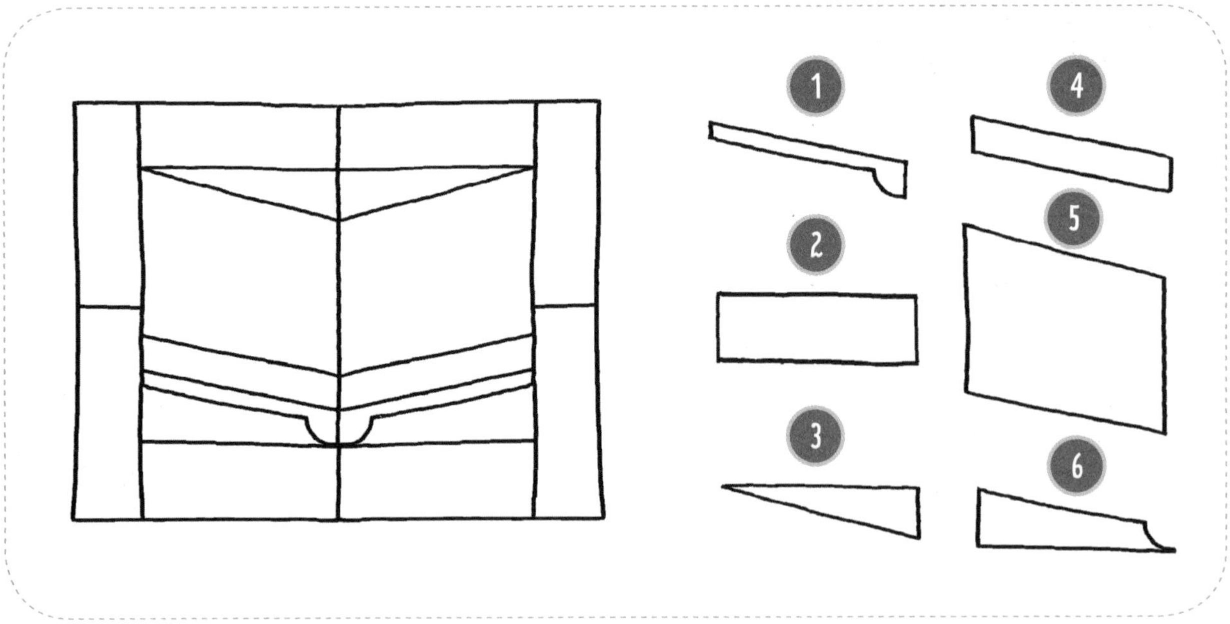

La Poste

Colorie !

Je comprends, je sais dire

1, 2, 3… 9 !

1. Écoute et colorie.

2. Écoute, écris puis colorie.

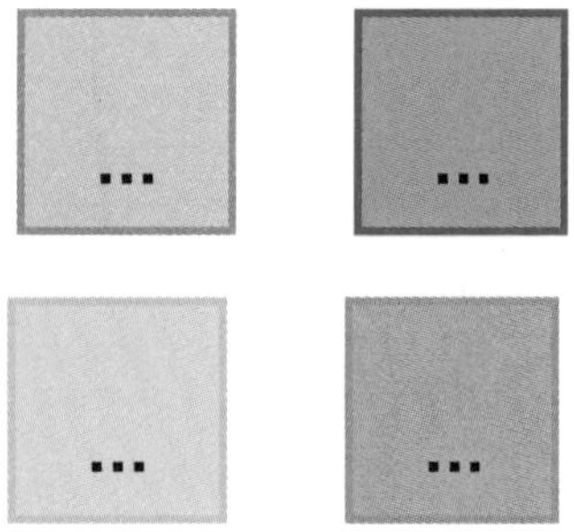

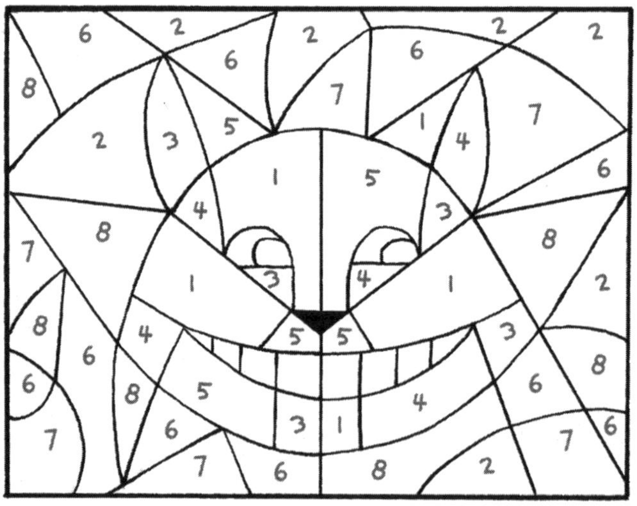

3. Écoute et colorie.

Je comprends, je sais dire

Quel âge tu as ?

1. Écoute et complète.

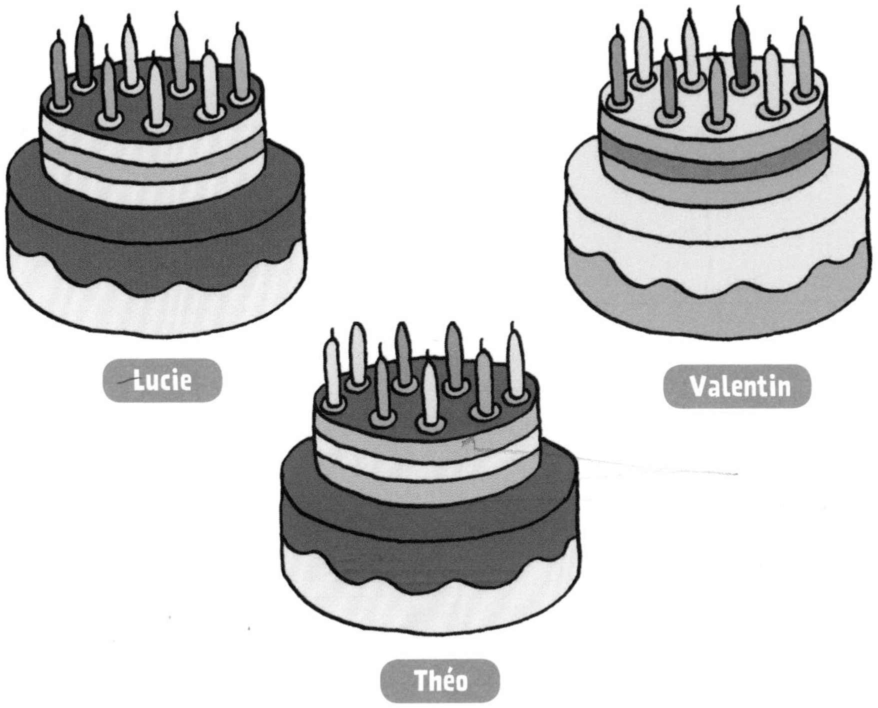

Boîte à outils

1	un	
2	deux	
3	trois	
4	quatre	
5	cinq	
6	six	
7	sept	
8	huit	
9	neuf	

2. Complète !

Je m'appelle Ludo. J'ai 8 ans ! Et toi ?

Je comprends, je sais dire

Les couleurs

1. Écoute, entoure la couleur et colorie.

C'est vert ? Non, c'est blanc.
C'est mon éléphant blanc.

C'est orange ? Non, c'est rouge.
C'est mon petit ours rouge.

C'est bleu ? Non, c'est noir.
C'est mon arrosoir noir.

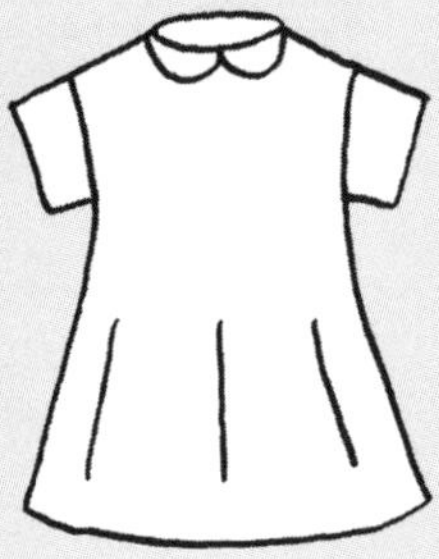

C'est jaune ? Non, c'est rose.
C'est ma jolie robe rose.

2. Entoure la couleur.

hiver
nerf
vent
vert

range
rouge
bouge
rauque

jeune
j'aime
jaune
joue

blé
deux
bleu
beurre

Boîte à outils

blanc

bleu

jaune

noir

orange

rose

rouge

vert

3. Colorie !

Le vélo est **bleu** et **noir.**

La poupée est **jaune** et **rose.**

La guitare est **rouge** et **orange.**

À toi ! Complète.

JOJO : Bonjour Léo, c'est ton anniversaire?

LÉO : Non !

JOJO : Bonjour Ludo, c'est ton a.................................?

LUDO : Oui !

LÉO : Joyeux anniversaire ! Quel âge tu as?

LUDO : J'ai .... Oh ! mes bougies !

Mots

1, 2, 3, 4, 5, 6, 7, 8, 9

Phrases

Joyeux anniversaire !
Bon anniversaire !

Quel âge tu as?
J'ai 8 ans.

C'est ?

Je joue avec les mots et les sons

Turlututu, chapeau pointu

1. Colorie le mot quand tu entends « u ».

série 1

balle 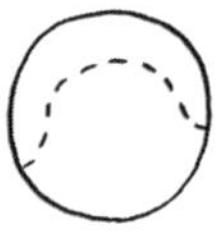 boule  bulle 

série 2

tortue  tartine  toupie 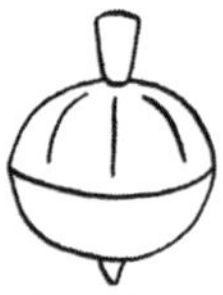

série 3

lune  lit  loup 

série 4

jeu  jus  joue 

2. Relie à Ludo les mots qui contiennent le son « u ».

pull 1

prune 2

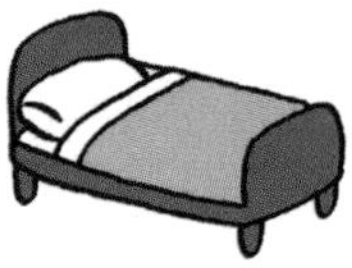
lit 3

lunettes 4

5 sucre

8 tortue

7 sucette

6 poule

3. Écoute et barre le wagon qui ne contient pas le son « u ».

4. Écoute et coche la syllabe qui contient le son « u ».

tortue

nuage

parachute

capuche

chaussure

musique

lunettes

autobus

5. Écoute et dessine les roues, puis colorie.

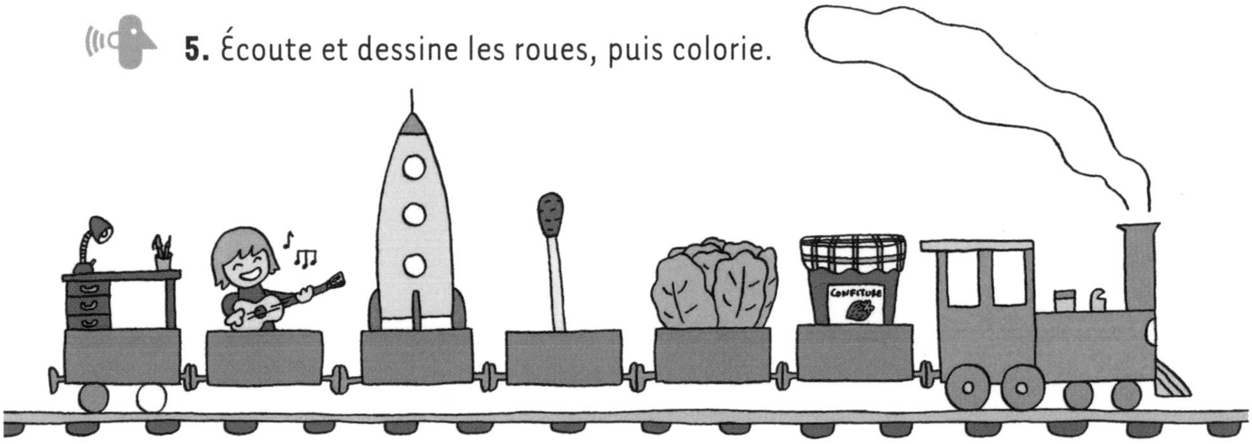

Pour aller plus loin

Récréation

1. Je mène l'enquête… Interroge et découvre les cartes mystère.

Comment tu t'appelles ?

Paul Matthéo Sophie
Victor Léa

Quel âge tu as ?

1 2 3 4 5 6 7 8 9

C'est… ?

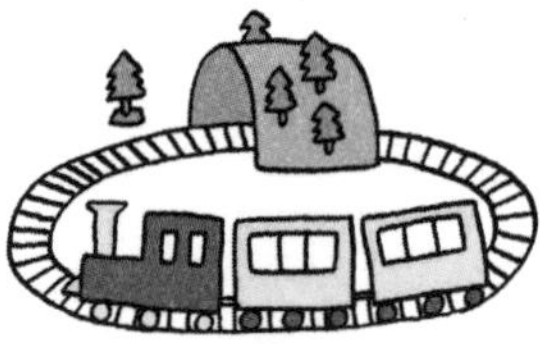

1

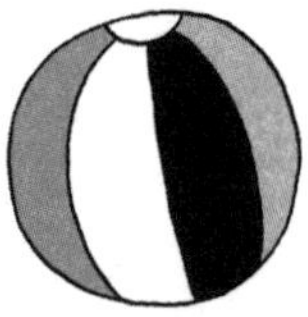

2

3

4

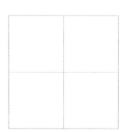

5

carte mystère n°1	carte mystère n°2	carte mystère n°3	carte mystère n°4
Nom :	Nom :	Nom :	Nom : ....
Âge :	Âge :	Âge :	Âge : ....
Cadeau n°	Cadeau n°	Cadeau n°	Cadeau n° ....

2. Bingo ! Écoute et complète.

En France

L'anniversaire

Colorie !

Je comprends, je sais dire

Un ou une ?

1. Écoute et colorie, puis entoure.

un / une ballon

un / une guitare

un / une jeu vidéo

un / une ours

un / une poupée

un / une robot

un / une souris

un / une train

un / une vélo

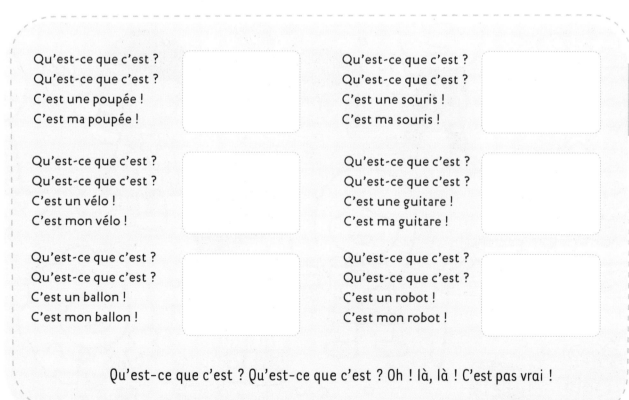

Je comprends, je sais dire

Qu'est-ce que c'est ?

2. Lis et dessine.

Qu'est-ce que c'est ?
Qu'est-ce que c'est ?
C'est une poupée !
C'est ma poupée !

Qu'est-ce que c'est ?
Qu'est-ce que c'est ?
C'est une souris !
C'est ma souris !

Qu'est-ce que c'est ?
Qu'est-ce que c'est ?
C'est un vélo !
C'est mon vélo !

Qu'est-ce que c'est ?
Qu'est-ce que c'est ?
C'est une guitare !
C'est ma guitare !

Qu'est-ce que c'est ?
Qu'est-ce que c'est ?
C'est un ballon !
C'est mon ballon !

Qu'est-ce que c'est ?
Qu'est-ce que c'est ?
C'est un robot !
C'est mon robot !

Qu'est-ce que c'est ? Qu'est-ce que c'est ? Oh ! là, là ! C'est pas vrai !

Je comprends, je sais dire

L'atelier du Père Noël

3. Écoute et colorie.

Je comprends, je sais dire

La lettre au Père Noël

4. Complète la lettre puis dessine.

Cher Père Noël,
Je m'appelle ....
J'ai ....
Je suis très sage.
Pour Noël, je voudrais ....,
.... *et* ....
Merci,

....

Boîte à outils

- Un ballon
- Une guitare
- Un jeu vidéo
- Un ours
- Une poupée
- Un robot
- Une souris
- Un train
- Un vélo

Je comprends, je sais dire

C'est...

1. Écoute et dessine.

un chat

une vache

2. Complète!

C'est ....

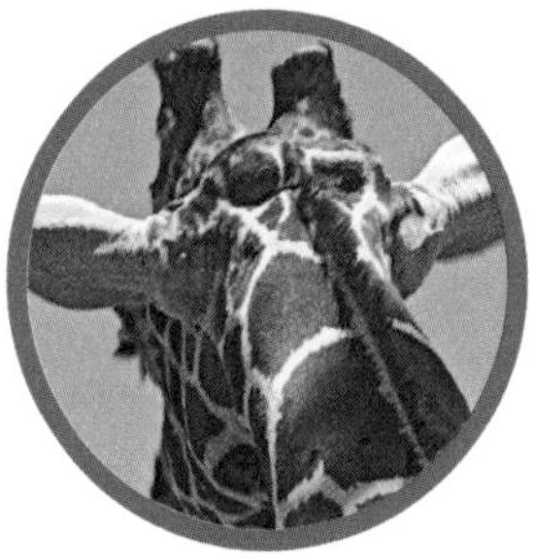

C'est ....

C'est ....

C'est ....

C'est ....

Je comprends, je sais dire

Combien il y a de lions ?

3. Complète !

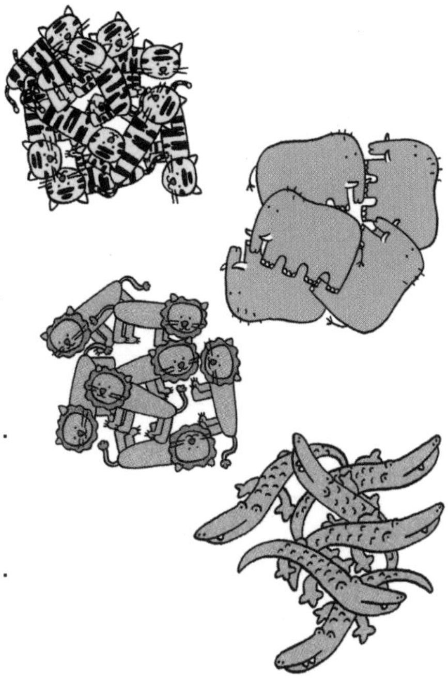

– Combien il y a de tigres ?

– Il y a .... tigres.

– Combien il y a d'éléphants ?

– Il y a ....

– Combien il y a de lions ?

– Il y a ....

– Combien il y a de crocodiles ?

– Il y a ....

Boîte à outils

Un chat 

Un chien 

Un crocodile 

Un éléphant 

Une girafe 

Un lion 

Un ours 

Un tigre 

Une vache 

À toi ! Complète.

Cher Père Noël,

Je m'appelle ....

J'ai ....

Je voudrais ....

....

Merci beaucoup,

....

Mots

Le ballon, la guitare, le jeu vidéo, la poupée, la souris, le train, le vélo, le chat, le chien, le crocodile, l'éléphant, la girafe, le lion, le loup, l'ours, le tigre.

Phrases

Joyeux Noël !

Combien il y a de  ?

Qu'est-ce que c'est ?

C'est ma .

Je voudrais un .

Je joue avec les mots et les sons

Les amis du chat et de la girafe

1. Écoute et colorie.

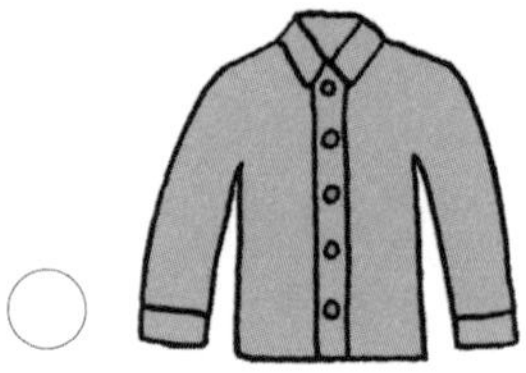

2. Écoute et entoure, puis relie.

1	2	3
4	5	6
7	8	9
10	11	12

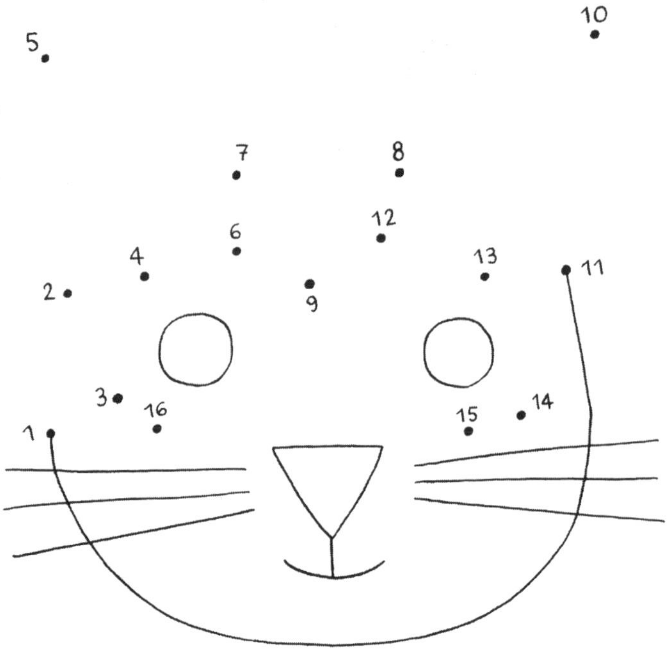

Je joue avec les mots et les sons

Atelier d'artiste

3. Relie !

 Le chat ● ● joue. 

 Le chien ● ● chante. 

 La vache ● ● nage. 

 La girafe ● ● se cache. 

 Jojo ● ● marche. 

 Le nuage ● ● mange. 

Recopie trois phrases que tu aimes !

1. ....

2. ....

3. ....

Pour aller plus loin

Récréation

1. Je mène l'enquête… Qu'est ce que c'est ?

1 2 3 4

2. Colorie ce qui est pareil.

chat

poupée

chien

guitare

chat

guitare

poupée

chien

En France

Noël

Colorie !

1 : rouge - **2 :** jaune, vert et bleu - **3 :** noir - **4 :** rose et orange
5 : blanc et bleu - **6 :** rose - **7 :** vert - **8 :** noir

Je comprends, je sais dire

La famille de Léo

1. Relie !

le père

la sœur

la mère

le frère

Boîte à outils

Le père/Le papa 

La mère/La maman 

Le frère 

La sœur 

Je comprends, je sais dire

Ma famille !

2. Complète !

C'est mon .... C'est ma ....

C'est moi.

J'ai .... ans.

J'ai .... frère(s)

et .... sœur(s).

....

Je comprends, je sais dire

De la tête aux pieds

1. Écoute et numérote, puis colorie.

n° .....

n° .....

n° .....

n° .....

n° .....

n° .....

n° .....

n° .....

n° .....

n° .....

La bouche

Le nez

Les oreilles

Les bras

Les pieds

La tête

Les cheveux

Les yeux

Les jambes

Les genoux

Boîte à outils

La tête 

Les cheveux 

Les yeux 

Le nez 

La bouche 

Les oreilles 

Les bras 

Les jambes 

Les genoux 

Les pieds 

Je comprends, je sais dire

J'ai les yeux verts

1. Lis et colorie, puis complète.

Je m'appelle Marion.
J'ai des yeux verts
et des cheveux longs.

Je m'appelle Léon.
J'ai des yeux bleus
et des cheveux blonds.

Je m'appelle Édouard.
J'ai des yeux marron
et des cheveux noirs.

Je m'appelle Nour.
J'ai des yeux marron
et des cheveux courts.

Je m'appelle Alain.
J'ai des yeux verts
et des cheveux châtains.

Et toi? Et toi?
Parle de toi!

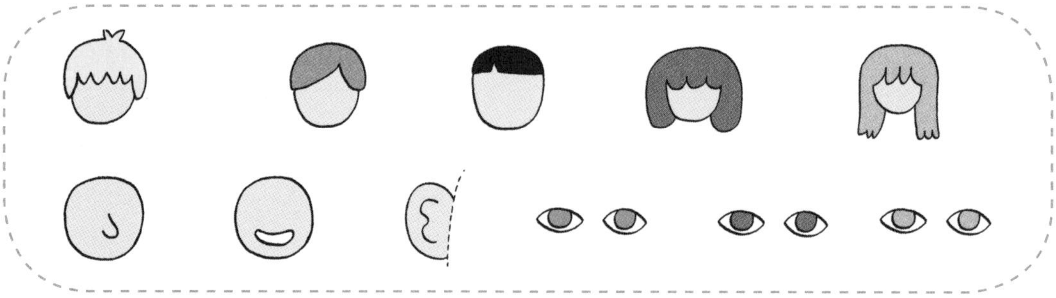

Je m'appelle ....

J'ai .... ans.

J'ai ....

Je comprends, je sais dire

Ça va ?

2. Écoute et relie.

Pauline Bastien Julie Dimitri

À toi ! Complète.

LUDO : Super, cet œuf ! Oh, et le jouet ! Regarde !

Le long n .... , la grande b ....

et les y .... rouges !

Mots

La tête, le bras, le genou, le pied, les yeux, la bouche, le nez, les oreilles, les cheveux.

Mon père/papa, ma mère/maman, mon frère, ma sœur.

Phrases

J'ai des 👁 👁 marron.
J'ai des (cheveux) noirs.

C'est mon papa, ma maman…

J'ai … frère(s) et … sœur(s).

Comment tu vas ?

☺ ☹ 😐

Je joue avec les mots et les sons

La roue des sons

1. Dis !

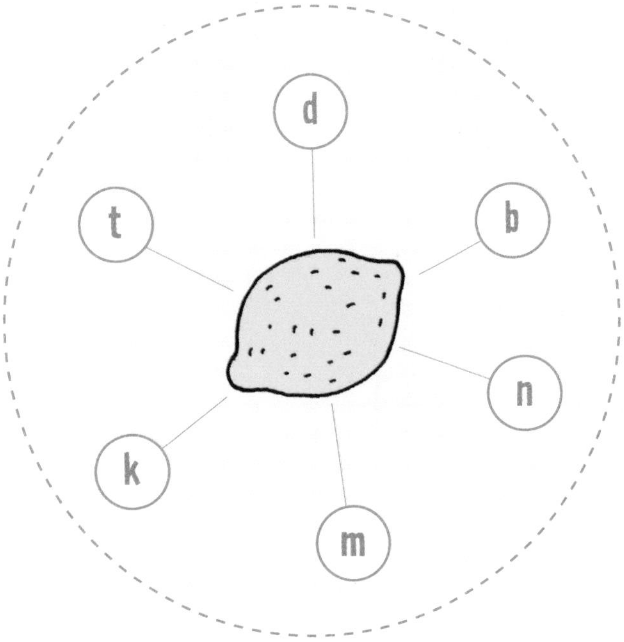

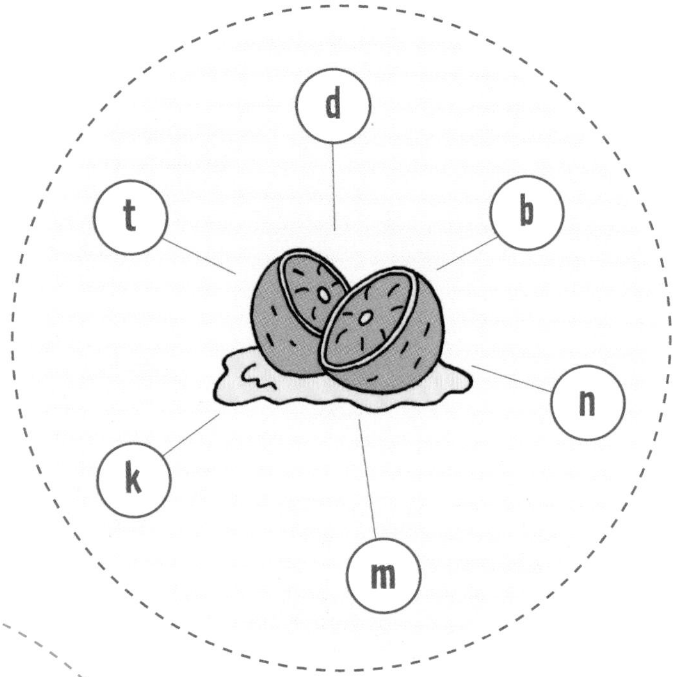

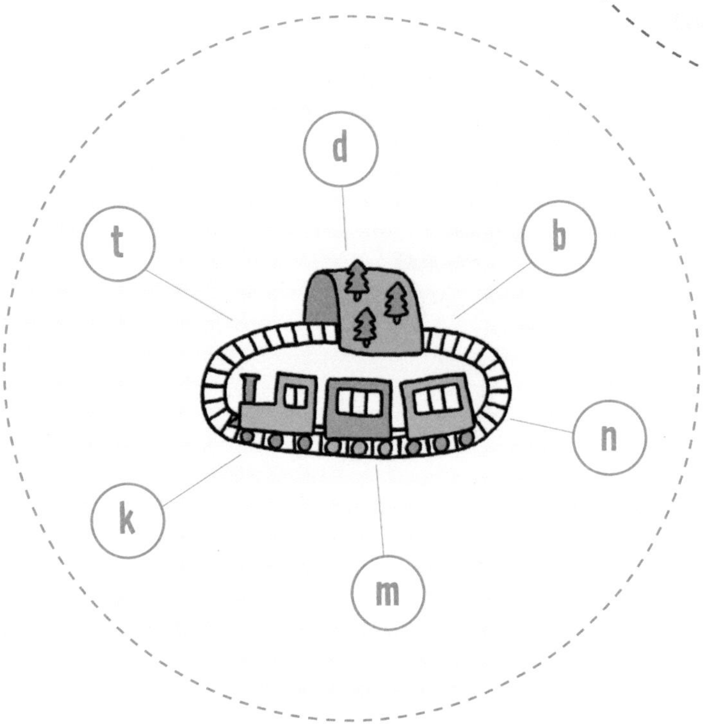

Je joue avec les mots et les sons

Je range les sons

2. Écoute et colorie.

montre

sapin

dent

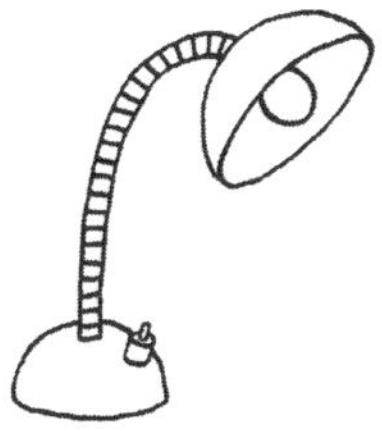
lampe

cochon

banc

main

chien

papillon

enfant

maison

lapin

Pour aller plus loin

Récréation

1. Je mène l'enquête... Qui est-ce ?

Emma Camille Océane Manon Nathan Lucas Théo Enzo

2. Colorie de la même couleur le mot et le dessin.

- ~~bouche~~
- tête
- bras
- genou
- pied
- yeux
- nez
- oreille
- cheveux

d	o	r	e	i	l	l	e
t	ê	t	e	q	a	c	m
b	v	y	e	u	x	h	l
g	o	b	o	p	i	e	d
a	e	u	n	e	z	v	y
i	n	e	c	h	d	e	t
u	k	z	o	h	s	u	r
b	r	a	s	u	e	x	e

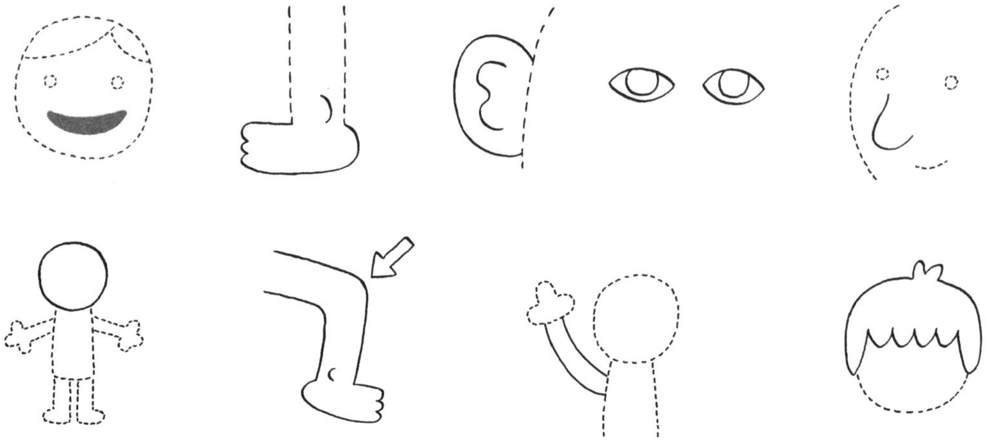

En France

Pâques

Écoute et colorie.

Unité 5 • À la cantine !

Je comprends, je sais dire

Du poulet et des frites

1. Écoute et relie.

2. Moi, le midi, je mange...

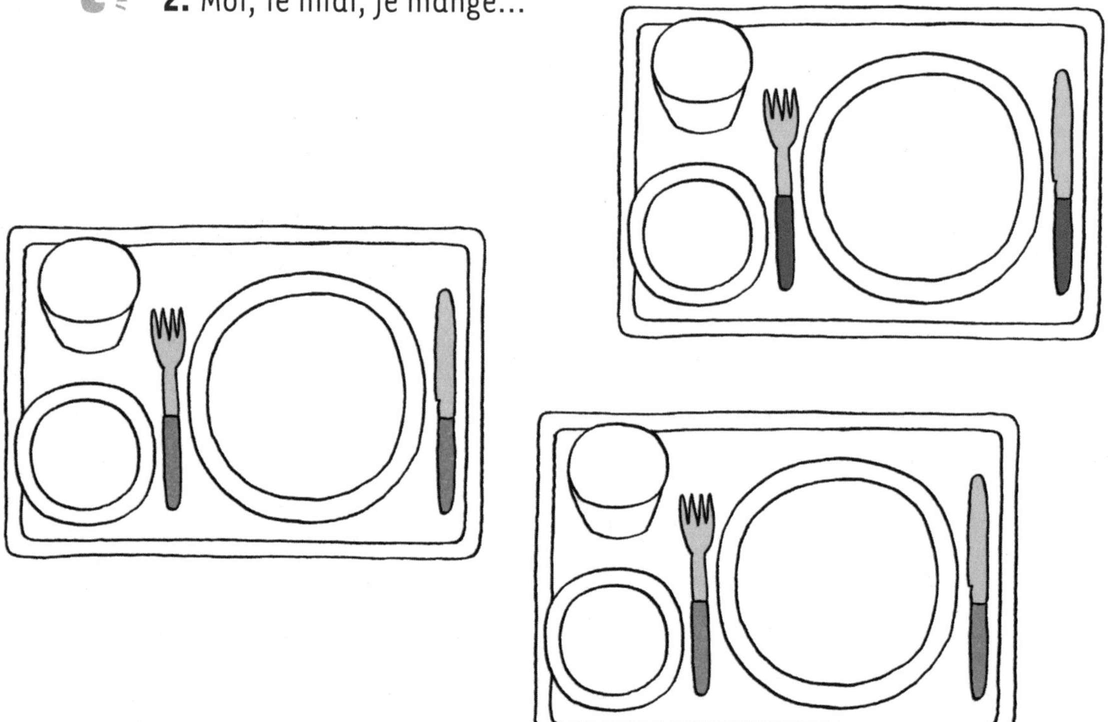

Je comprends, je sais dire

J'aime...

3. Tu aimes...?

Tu aimes la salade, Ludo?
J'aime la salade. Je n'aime pas la pizza.
L

prénoms								
Ludo				×				

Boîte à outils

- Les carottes
- L'eau
- Les frites
- Le fromage
- Le gâteau
- Le jus d'orange
- Le lait
- Les œufs
- L'orange
- Le pain
- La pizza
- Le poisson
- Le poulet
- La salade
- Les spaghettis
- Le yaourt

Et toi? Moi, j'aime ....

Je comprends, je sais dire

Il fait beau !

1. Écoute et colorie.

1 2 3

2. Écoute et dessine.

1

2

3

4

3. Écoute, dessine puis colorie les phrases exactes.

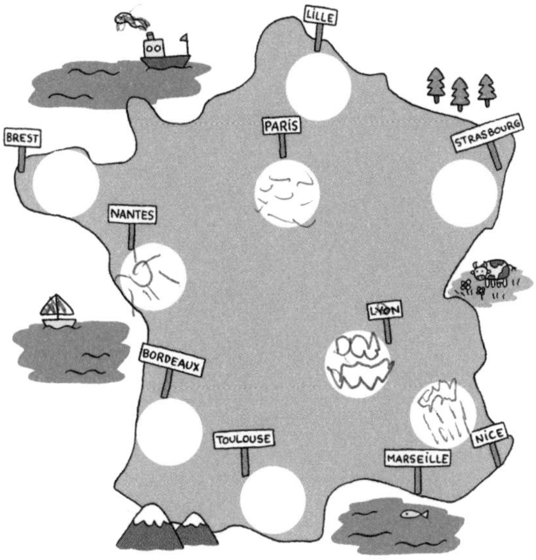

- ◯ Il pleut à Marseille.
- ◯ Il y a du vent à Paris.
- ◯ Il fait beau à Nantes.
- ◯ C'est nuageux à Lyon.

À toi ! Complète.

LUDO : Regarde, Léo, on va à un goûter !

LÉO : Super ! et il fait beau !

LUDO : J'aime ♥ le gâteau au chocolat et le jus d'orange !

LÉO : Je n'aime pas ♥ le gâteau !

J'aime ♥ les carottes !

Mots

L'eau, l'orange, le fromage, le gâteau, le jus d'orange, le lait, le pain, le poisson, le poulet, le yaourt, la pizza, la salade, les carottes, les frites, les œufs, les spaghettis.

Phrases

J'aime la salade.
Je n'aime pas la pizza.
Tu aimes le poisson ?
Le midi, je mange des spaghettis, je bois de l'eau.

Il fait beau. Il y a du vent.
C'est nuageux. Il pleut.

Je joue avec les mots et les sons

a, e, i, o, u...

1. Écoute et mets dans la bonne boîte.

1 éléphant 2 cerise 3 clé 4 bleu

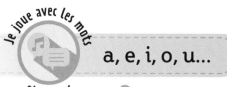

5 lait 6 télé 7 nuageux 8 fusée

2. Écoute et range dans la bonne maison.

poulet 1

pain 2

frites 3

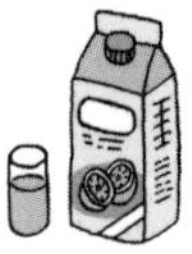

jus d'orange 4

5 salade

6 jambe

7 eau

8 poisson

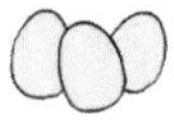

9 œufs

3. Écoute et barre le mot qui ne convient pas.

mère | mare

banc | bon

feu | fée

mile | mule

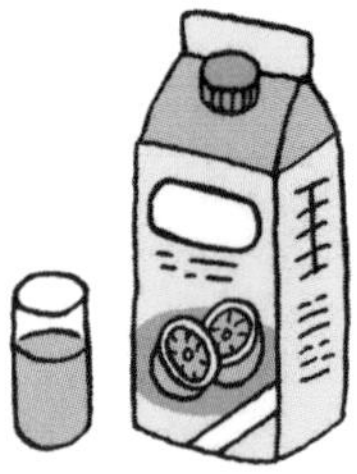

jus | jeu

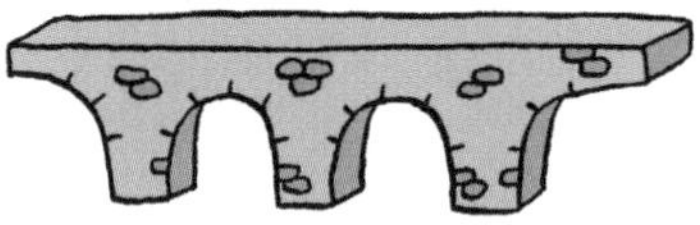

pot | pont

4. Écoute et colorie.

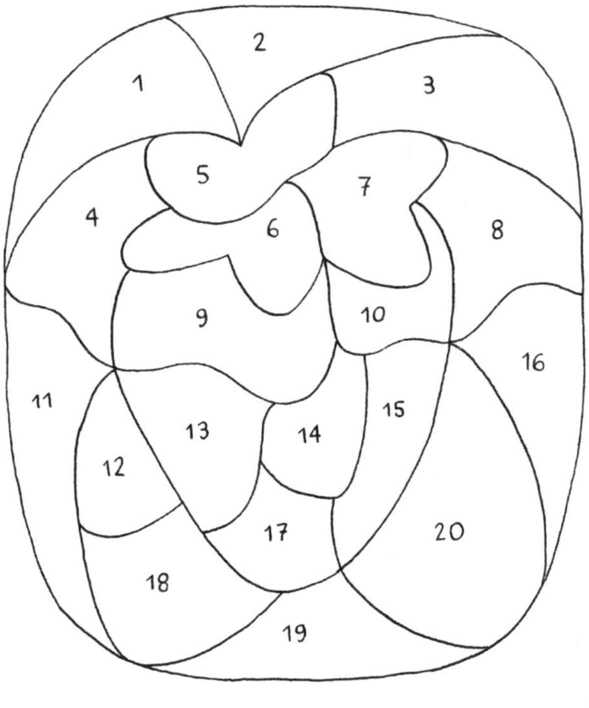

Pour aller plus loin

Récréation

1. Je mène l'enquête… Interroge et trouve le menu préféré.

Marion Léon Nour Alain

2. Écoute et relie les points.

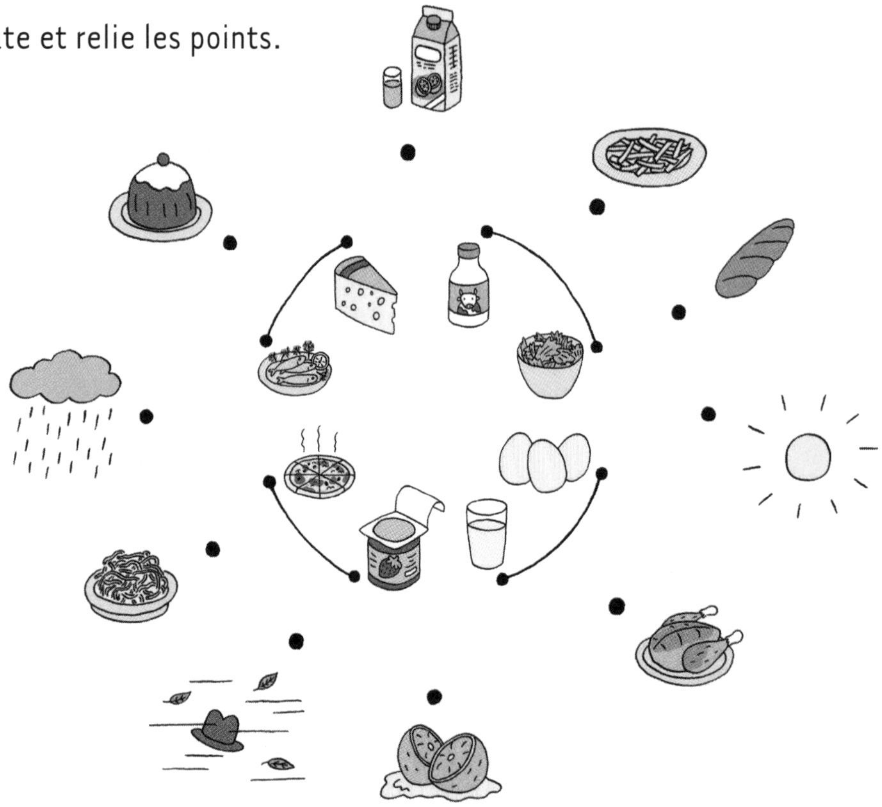

En France

À la cantine

Colorie !

Plat du jour

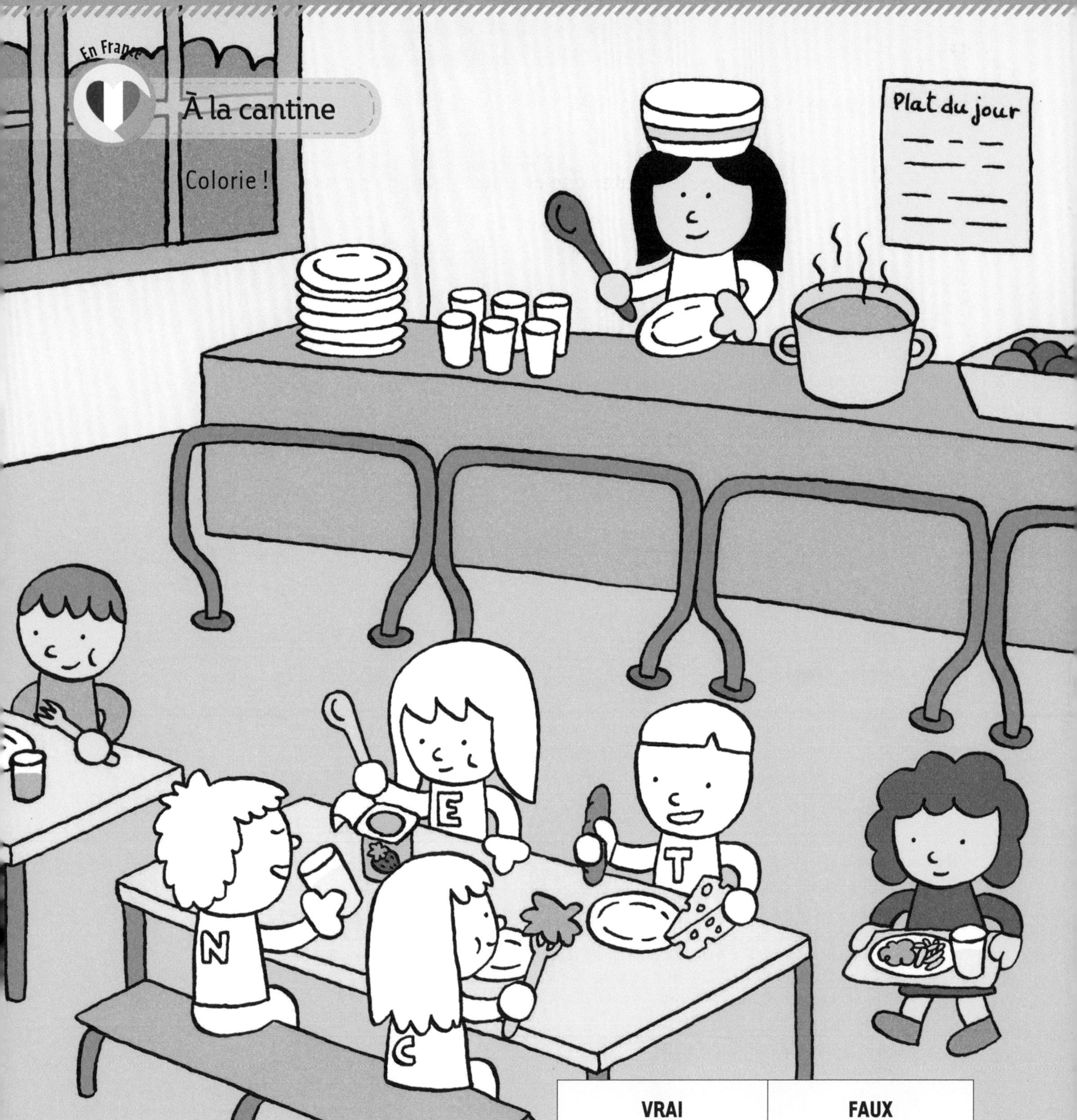

	VRAI	FAUX
Emma mange de la salade.	●	●
Théo mange du fromage.	●	●
Camille mange une banane.	●	●
Nathan boit du lait.	●	●

Table des matières

Crédits photographiques

p. 10 .... Corinne Marchois
p. 26 .... hg .... Martin Rogers/Photographer's Choice/Getty Images
p. 26 .... hc .... Daryl Balfour/Gallo Images/Getty Images
p. 26 .... hd .... Thorsten Milsen/Robert Harding World/Getty Images
p. 26 .... bg .... Tokuryo Oya/Amana Images/Getty Images
p. 26 .... bc .... Derek Lebowski/The Image Bank/Getty Images

Illustrations :

Frédérique BERTRAND : pages 4-5 (Rocco et Lulu), 14 (h), 16 (h et b).
Bruno CONQUET : page 16 (m).
Jochen GERNER : pictogrammes
Loïc MÉHÉE : couverture, pages 2, 4-5, 9, 10, 11 (Ludo), 12 (Ludo), 15, 16 (h), 17 (boîte à outils et Ludo), 19 (Ludo), 20 (Ludo), 21 (Léo), 22, 23, 24 (h), 27 (Ludo), 28 et 29 (Jojo), 32, 35 (Ludo), 28 et 29 (Ludo), 40 et 41 (Ludo), 43 (Ludo).
José PARRONDO : pages 6, 7, 8, 11, 12, 13, 17 (h), 18, 19, 20, 21, 22, 23, 24, 25, 26, 27, 28, 29, 30 31, 33, 34, 35, 36, 37, 38, 39, 40, 41, 42, 43 (h), 44, 45, 46, 47.

Création graphique et réalisation : Cécile CHAUMET

éditions didier s'engagent pour l'environnement en réduisant l'empreinte carbone de leurs livres. Celle de cet exemplaire est de : 550 g éq. CO_2
Rendez-vous sur www.editionsdidier-durable.fr

PAPIER À BASE DE FIBRES CERTIFIÉES

ISBN 978-2-278-8227-8 - Dépôt légal : 8227/03
Achevé d'imprimer en France en septembre 2016 par Loire Offset Titoulet